Cet ouvrage a été imprimé
sur un papier issu de forêts gérées
durablement, de sources contrôlées.

ISBN 978-2-7002-5339-9

L'école d'Agathe

Pakita | J.-P. Chabot

Un chien pour Lilas

R

RAGEOT

Vous connaissez Lilas ?

Elle est douce comme un savon très doux et en plus, elle adore les chiens !

Depuis qu'elle est bébé, le plus grand rêve de Lilas, c'est d'avoir un chien. Un jour, pendant la récré, elle m'a dit :

– Tu sais Agathe, je rêve tellement d'avoir un chien que, des fois, je me réveille la nuit et je crois l'entendre aboyer.

Lilas est ma nouvelle amie. Elle ne parle pas à tout le monde mais à moi, elle raconte tout, parce qu'elle a **confiance** en moi.

– Tu vois Agathe, mon chien, il aura **confiance** en moi comme j'ai **confiance** en toi.

Faire **confiance**, c'est très important. Ça veut dire que tu n'as pas peur des autres, que tu crois ce qu'ils te racontent. Quand tu fais **confiance** aux gens, tu peux leur confier des secrets et, si tu es triste, tu peux leur raconter pourquoi et ils te consolent.

Moi, j'ai **confiance** en Lilas, en Léonard, en Marie, en tous mes copains !

J'ai aussi **confiance** en vous et en Bloblotte, mon hamster chéri qui me comprend. Mais Lilas a **confiance** en moi, en ses parents, en sa mamie Do, et c'est tout.

Et surprise ! L'autre matin, à peine arrivée dans la cour, Lilas a foncé sur moi.

– Agathe ! Mon rêve va se réaliser ! Mamie Do m'offre un chien pour mon anniversaire !

– Tes parents sont d'accord ? je lui ai demandé.

– Ouiiiiiiiiiiiii !

yorkshire

cavalier king-charles

labrador

bouledogue

berger allemand

En une seconde, toute la classe était là.

– La chance ! Tu vas choisir quoi, un **labrador** ? Un **berger allemand** ? Un **yorkshire** ? Un **bouledogue** baveux ? (Ça, c'était Mathieu !)

– Mamie Do veut m'offrir un **cavalier king-charles**, a chuchoté Lilas.

– Un cavalier ? Mais c'est quelqu'un qui monte à cheval ! a déclaré Marie.

– Et **king**, ça veut dire roi en anglais, a ajouté Coralie dont la tata est anglaise.

– Et **Charles**, c'est mon petit frère ! a ajouté Tom.

On a éclaté de rire. On imaginait le frère de Tom en roi des chiens sur un cheval !

Lilas est devenue **rouge** comme une **tomate** et elle est partie en courant.

Vite ! Je l'ai rattrapée.

– Lilas, pourquoi tu t'es enfuie ?

– Je n'aime pas quand les élèves sont autour de moi. Et moi, je veux juste un chien qui m'**aime** et que j'**aime** et c'est tout !

La fin de la récré a sonné. En classe, on travaillait quand un petit papier-message, tchouk!, a atterri sur ma table. Je l'ai ouvert.

Agathe? Tu veux bien venir avec moi demain pour choisir mon chien?

Lilas

Je me suis retournée vers Lilas pour lui faire signe que oui.

Le lendemain, la mamie Do de Lilas nous a emmenées dans une maison pleine de **cavaliers king-charles.**

Ça s'appelle un élevage et les gens qui travaillent sont des éleveurs. Les chiots étaient trop mignons !

On les regardait avec Lilas quand sa mamie Do lui a demandé :

– Lilas chérie, quel chiot choisis-tu ?

Lilas a fait une drôle de grimace puis elle a répondu :

– Je les trouve très jolis mais il y en a trop. Comment reconnaître celui qui aura **confiance** en moi ?

Le lendemain, les copains ont demandé à Lilas :

– Alors Lilas, ton chien ? Il est comment ? Tu nous le montres quand ?

Comme Lilas ne répondait pas, j'ai dit :

– Lilas réfléchit. Un chien, on l'**aime** pour toute sa vie, il ne faut pas se tromper quand on le choisit.

Sacha, un CE2, est arrivé.

– Lilas, pourquoi tu ne vas pas à la **SPA** choisir ton chien ?

– La **SPA** ? Qu'est-ce que c'est ? on s'est écriés.

– C'est la **Société Protectrice des Animaux**, nous a expliqué Sacha, la maison qui protège les chiens et chats qui ont été abandonnés par leur maître.

La sonnerie a retenti.

On faisait un exercice de calcul quand un nouveau petit papier-message a atterri sur ma table.

*Agathe, tu veux bien venir samedi avec moi à la **SPA** ?*

Lilas

Bien sûr, j'ai dit oui ! Lilas a confiance en moi.

La SPA, c'est bien parce que les gens sont gentils avec les animaux mais c'est triste parce qu'il y a plein de chiens abandonnés dans des cages. Dès que tu t'approches d'eux, ils te regardent avec des yeux d'**amour** et ils aboient :

– S'il te plaît, adopte-moi ! Je t'aime déjà ! Je serai un super chien pour toi !

On faisait une caresse à chacun à travers les grillages, quand soudain Lilas s'est exclamée :

– C'est horrible ! Je vois bien que tous les chiens de la SPA me donnent leur **confiance** mais si j'en choisis un, les autres vont pleurer et je ne veux pas faire pleurer les chiens !

Le lundi suivant, on s'est donné rendez-vous avec Lilas pour aller ensemble à l'école. Elle n'habite pas très loin de chez moi. On arrivait à la grille quand soudain on a entendu :

– Wouaf! Wouaf! Wouaf!

Et un drôle de petit animal a sauté sur Lilas.

C'était un chiot avec une oreille plus grande que l'autre, des poils bizarres, un petit corps et des longues pattes.

– Tu n'es pas très beau, le chiot ! je me suis exclamée.

– Ce n'est pas gentil ce que tu dis ! m'a répondu Lilas en se baissant vers lui.

Le chiot a regardé Lilas et s'est assis sur elle.

Mathieu, Coralie et Tom sont arrivés. Tom a dit :

– Il n'a pas de collier. C'est sûr, il est perdu ou abandonné.

– Et il n'a pas de tatouage ! a ajouté Marie qui a trois chiens.

Madame Pikili, la maîtresse des CE2/CM1, s'est approchée.

– S'il est encore là ce midi, je le prendrai chez moi.

À la récré, Lilas et moi, on est allées sous le toboggan, là où on se raconte nos secrets.

À la cantine, Lilas était très triste. À 13 h 30, madame Pikili est entrée dans la cour. Lilas a bondi vers elle.

– Madame, le petit chien de la grille est chez vous ?

– Oui, mais je ne vais pas pouvoir le garder, ma chatte est trop jalouse, elle le griffe !

– Alors il est à moi ! a crié Lilas.

Oh là là! Il est tard! Ce soir, Lilas m'a téléphoné.

— Agathe, j'ai lavé Merveille. Quand il me regarde, je vois toute sa **confiance**! Alors tu sais quoi? J'ai décidé de faire plus **confiance** aux autres.

Bravo Lilas et bonne nuit les amis! Bonne nuit Merveille et bonne nuit Bloblotte, ma merveille à moi!

L'auteur

Pakita aime tous les enfants ! Les petits, les gros, les grands, avec des yeux bleus, verts ou jaunes, avec la peau noire, rouge, orange, qui marchent ou qui roulent, et même ceux qui bêtisent !

Pour eux, elle se transforme en fée rousse à lunettes, elle joue, elle chante, elle écrit des histoires et des chansons pour les CD, les livres ou pour le dessin animé.

L'illustrateur

Jean-Philippe Chabot est né à Chartres en 1966. Avant d'entrer à l'école il dessinait déjà. À l'école, il dessinait encore. Puis il a choisi de faire des études de... dessin. Et maintenant, son travail c'est illustrer des albums et des romans.

Il est très heureux de dessiner tous les jours et parfois même la nuit mais toujours en musique.

L'école d'Agathe

32 pages – 5,20 €

n° 1

n° 2

n° 3

n° 4

n° 5

n° 6

n° 7

n° 8

n° 9

n° 10

n° 13

n° 14

n° 16

n° 18

n° 19

64 pages – 7,10 €

n° 11

n° 12

n° 20

Toute la série
L'école d'Agathe
sur www.rageot.fr

RAGEOT s'engage pour
l'environnement en réduisant
l'empreinte carbone de ses livres.
Celle de cet exemplaire est de :
168 g éq. CO$_2$
Rendez-vous sur
www.rageot-durable.fr

PAPIER À BASE DE
FIBRES CERTIFIÉES

Achevé d'imprimer en France en juillet 2016
par l'imprimerie Clerc
Dépôt légal : septembre 2016
N° d'édition : 5339 – 01